음료처럼 사용되는 소유격 (Me)

열다섯 편의 소네트[1] 형식을 통한 대명사 강의

폭신한 조랑말 인형 소네트 삼부작 1부

너는 침을 개인적인 소유물이라 생각해, 아니면 팔 수 있는 것이라 생각해?
눈물은? 정액은? 언어학자들은 얘기하지
이런 구분을 알기 쉽게 하려면
'양도 가능'과 '양도 불가능'이라는 말을 쓰라고.[2]
예를 들자면, 영어 사용자들은 평상시에 피와 똥은 양도 가능하다고 하지만
침, 땀, 눈물, 내장은 내주지 않아.
파푸아뉴기니에서는 바나나와 엉덩이가 양도할 수 없는 범주에 속하지만
성기와 바나나 껍질은 너무 빠르다 싶게 그렇게 지켜지지 않지.

그런 생각이 '강간' 같은 단어가 정의되는 방식에
또는 마술사들이 주술을 거는 방식에 또는 동물을 부를 때
마음속에 드는 느낌에 영향을 미칠 테지. 물론 암소와 고양이,
양, 돼지, 당나귀, 개, 쥐는
보유와 처분 여부가 주인에게 달려 있어.
하지만 네 조랑말은 그 기준대로 분별 있게 분류할 수 없지.

폭신한 조랑말 인형 소네트 삼부작 2부

또 하나의 너.

어느 여름날.

두 배로 유리한 나.

보답할 필요 없음.

그리고 차고 넘치는 고집.

이런 걸 다 합하면ㅡ

너에게 네 조랑말은 이 모든 것ㅡ그리고 그 이상

네 조랑말은 위험의 냄새를 맡을 수 있으니까

거기 파멸이나 고통이 있다면

너를 문안으로 데리고 들어가지 않을 거야.

그러니 그가 생의 끝에 다다랐을 때 고기로 팔고 싶다면

네 조랑말의 대명사를 바꿔야겠지

새벽에 그의 북슬북슬한 머리에 대고

새벽에 그의 북슬북슬한 머리에 대고 인사하며 부르던 대명사를.

폭신한 조랑말 인형 소네트 삼부작 3부

새벽 속의 몸.
추위 속의 몸.
몸과 몸의 숨.
몸의 숨 깃털.
춤 깃털.
당신이 아닌 춤.
당신, 그대.
당신, 숨.

거기 있다.
숨, 깃털.
추위는 어떻게 있나.
새벽이 있다.
고요는 어떻게 고이나.
그대의 숨.

분리 소네트

"스스로의 취향을 따르는 것을 피하기 위해 나는 나를 부정하도록 나를
떠민다."

— 마르셀 뒤샹

어떤 소네트는 종이 위 직사각형.
너의 눈은 그 팔 대 오 비율을 즐기지.
너를 어느 절박한 언어로 살아 있게 해주는
수백만의 그림자를 해석하는 절박한 사람이라 하자.
그게 물이거나 결백한 사람이거나 톱질에서 날아오른 매라면,
네가 아직도 축축한 의미의 안개에서 잘라낸 이 날것의
덩어리가 아니라 삼십 분짜리 섹스나 체스에 몰두하는
아도니스이거나 마르셀 뒤샹이라면 좋을 텐데. 하지만 아니지,

너는 혼자. 여기서는 어떤 관념이든 일어서자마자
돌아서서 너를 마주하지 키스보다 빨리
아니면 하이픈 아니면 당장은 아니라도 언젠가는 죽을,
오직 두 개의 대명사 '나'와 '나 아님'을 사용하면서
너의 거의 모든 잔꾀와 한숨처럼 짙푸른 해방을 요구할,
한 생명됨의 산들바람을 처음 느낀 그 순간보다 빨리.

조리법

그 그녀의 것 그 자신 그녀
그의 것 그녀 자신 나 나의 것
나 자신 여기
우리는 모두 주방에.
이제 먼저
화덕을
아주 뜨겁게 달구시오.
이 세 가지

요소를 모두 이용하시오.
즉,
한 요소를 이용하여
수프를 데우고,
한 요소를 이용하여
견과를 볶으시오. 그는

수프를 좋아하고, 그녀는 견과를
좋아하니까. 둘은 수프에
견과를 넣어 먹을 것이오.
하지만 보시오
한 요소가
남겨
지고 —
둘이

저녁밥을 먹는 사이,
그걸 이용해 불사를 수도 있을 거요
제

입술에
붙은
그 대명사를.

거트루드 스타인 지칭하기 소네트

여기 한 대명사가 있다
거트루드
스타인을
당신은
일찍이
가져본
적 없는

지금은
죽은
:
개
와
함께
지칭하는.

버려진 소네트

한 언어가 어떤 특질을 버리면 (예를 들어, 영어가
이인칭 단수형을 손보는 바람에 내가 더는 '말해다오, 유령이여! 어디로 가셨는가
그대?'라고 바람을 표현하거나 '그대가 불사가 아니라면
주위를 경계하셨어야지!'라고 말하며 왕을 두 동강 낼 수 없게 됐듯이)
들었던 무기가 내려지고,
전 체계에서 공기가 줄어들고,
참새에 슬픔이 깃들고,
접두사와 지혜가 소실되고,
alas는 'las로,
unless는 'less로,
impale은 'pale로,
unresisting은 'unsist로,
그리고 whether는 한 음절
그리고 needle은 kneel과 운이 맞지
(하지만 고백하는바, 너를 만나고서야 나는 이 변화가

상실로 느껴지기 시작했다. 세탁물 투입구로 퉁탕거리며 굴러떨어지는 듯한 그런 느낌이 — 이
갱도,
　　폭포,
　　　　급격한 하강(워터슬라이드, 산사태),
　　추락,
　　　　순전한 하강,
　　　　기억력 저하,
　　　　수직 다이빙,
　　　　　이 급류 빗물관
　　　　　이 곤두박질,
　　　　　　이 낙하산,
　　　　　　머리부터 떨어지는, 이

물 흐르는
부두교 마법 걸린 소나무
수직 낙수 홈통이 —
'그대의 것'으로 지칭되기를
　　　　　요구하며
　　　　　아우성친다).

신 지칭하기 소네트

누가 자꾸 자기를 부르는 소리가 들리는 사람들이 있지.
하지만 신을 대명사로 지칭하는 건 난폭한 행위.
빗금 기호를 사용해. 거리낌 없이
사용해. 하지만 깔끔하게.
깔끔하게
신은 대들보에 앉아
그녀의 / 그의 / 그들의 / 신의 다리를 흔들었다. 손가락
끝으로 그녀 자신을 / 그 자신을 / 그들 자신을 / 신 자신을

지탱한 채,
그녀 / 그 / 그들 / 신은
두 다리를 내려
그녀의 / 그의 / 그들의 / 신의 몸을 허공에 매달았다.
우리 / 당신 / 그들 / 나 / 누군가가 밑에서 비명을 질렀다.
신이 손을 놓고 떨어졌다.

오스카 와일드 지칭하기 소네트

'조지 옆에 있는 남자 누구야? 잘은 몰라도 그녀 꽤 귀여운데.'
요즘은 남자친구를 '그녀'라 부르고 싶다고 해서 꼭 비너스 엑스트라바간자[3]가
될 필요는 없다. 이런 짓은 대체로 남자들이 한다.
여자들은 이런 현상이 어떤 결과를 가져올지 의심한다.
'아름다운 것에서 추한 의미를 발견하는 이들은 매력이라곤 없는 타락한 사람들이다.'
오스카 와일드가 앨프리드 더글러스 경에게 말했지(1894년 7월 편지).
'널 얼마나 사랑하는지 표현할 말이 내게는 없다.' 말이 없음의 이 문제.
합법적인 말 없음. 효과를 발휘할 말 없음. 구석구석 충격을 줄

말 없음. 충격은 어떻게 얻는가.
뜨거운 무언가에 차가운 무언가를 대라.
차가운 무언가를 얻으려면 어디로 가야 하는가. 겨울이라면, 밖으로 나가라.
젠더라면, 주저하라. 모든 젠더는 뜨겁다. 흔히 당신이 '속한' 하나가
속하지 않은 하나보다 덜 뜨겁게
느껴질지라도.

머스[4] 소네트

어떤 춤은 서사다.
이야기를 들려줄게.
반면에, 명성은,
장소를 만들었거든
부적절하게(그렇게 볼 수도)
어느 쪽이냐면
자신의 뿌리 뽑기
앙토냉 아르토는

어떤 건 아니다.
마사 그레이엄.
머스 커닝햄
고유명사의
머스 무용수들은
–
그들이 움직이는 법
생각해내지

대척되는 두 시작점
이름을 정해. 배역을 연기해.
가져갔지, 많이,
공허하지만 뜨거운.
명사다.
대명사다.
매 위치에서,
인용문 하나를.

"뒤집어서 춤추기
뒤집어서, 알겠다,
하지만 왜 '또'인가?
조사해보자
그 '대(代, pro)'가
하지만 pro가
아마 이런 식으로
아주 이른,
첫 시간 속
우리 이름들에 앞서
예를 들자면,
마사 그레이엄의
밖에서
헬렌 켈러

'또'
너의 몸에는
'또'는 언제를 의미하는가?
'대명사(pronoun)'의
'대신'의 뜻이라는 걸
'먼저, 전, 앞선'을 뜻할 때
우리에게 왔겠지
별처럼 빛나는, 비틀거리는,
검푸른 대기
그 끔찍한 기호가
늦은 오후
실기 수업이
자라고 있다
오늘의 방문객이

그 무용가는 가르치지!"
이야기가 미치지 못한다.
누구의 전사(前史)에서?
어원.
당연히 너도 들었겠지.
'대(pro)'도 단어지.
무용이 –
무용이,
그리도 대담한
확립되기 전에.
1941년.
거의 끝나간다.
뉴욕 거리의 어둠이.
전설적인 평을 한다.

"참 가벼워요,
그 학생
대명사들에 입 맞추기.
날카롭게 보라 너는
왜! 대명사는
귀먹고 눈먼 사람조차

마음처럼" 그녀가 말하지
(그가 머스다)
일찍이 그들은 그렇다.
실내를 관통하며 그들이
춤추는 대명사는
만면에 가득할 것이다

손을 어느 학생의 허리에 대고
제자리에서 몇 번 뛰어오른다.
그래서 그들은 무르다.
어떻게 항해하는지 볼 수 있다.
수 마일 밖에서도 명백하다.
환한 웃음이.

직시적(直示的)인 퀴즈 소네트

1.

파트로클로스

의

주검

을

가지고는

약간의

지체가

있

었지,

화장용

장작더미가

당최

불타기를

거부하는 바람에.

(호메로스,『일리아스』제23권 193절)

답:

그것이

그것을

거절했다.

2.

세상에는

순록이

사랑하는

그런

날들이

있

다.

(에밀리 디킨슨, 시 1696번 1연)

답:

세상에는

이들을

사랑하는

저들이

있

다.

3.

원한을

품고

나를

죽여라

하지만

우리는

적이

되지

말아야

한다.

(윌리엄 셰익스피어, 소네트 40번 14연)

답:

그런 걸

피하기

위해서는

이렇게

하라.

4.

발레

수업

에서

내가

원한

것

은

각

동작이

어떻게

움직이는지

아는

것이다

그게

당신

에게

어떻게

느껴지는지가

아니라.

(머스 커닝햄 인터뷰)

답:

저기서

나는

저것

에

이것을

했다

캘리퍼[5]를

제동하기

위한

바나나가
아니라.

5.
누구라도
누군가가
사랑하는
다른
누군가의
이름을
어떻게
소리
내어
부르는지
정도는
안다.
(거트루드 스타인, 「시와 문법에 관하여」)

답:
어이
'쌍년아'
그
씨발것
좀
꺼.

6.
그들은
무심코
내뱉는
근사한
말들로

가득
차
있는
것
같았다.
(셰익스피어 소네트에 대한 이야기, 1817년 존 키츠가 H. 레이놀즈에게
보낸 편지)

답:
네
얼굴을
보면
당황스러워,
너
는
정말
대단한
숨 쉬는 기계야.

대명사 사건의 소네트

1. 대명사를 찾는 한 남자와 한 여자.

2. 대명사를 찾으러 내려가는 모든 사람.

3. 대명사를 찾으려고 퍼낸 진흙.

4. 진흙을 제거하기 위한 대명사 씻기.

5. 진흙이 묻은 뒤에 자기들 씻기.

6. 바구니에 담긴 대명사들.

7. 앉아서 말릴 곳을 찾으러 대명사 현장에서 걸어 나오기.

8. 대명사는 이다.

9. 대명사는 않다.

10. 대명사는 아주 않다.

11. 대명사는 아주 많이 않다.

12. 대명사는 아주 많이 같지 않다.

13. 대명사는 백합과 아주 많이 같지 않다.

14. 아니 그것은 백합과 아주 많이 같다 아니면 그것이 어떻게 사건을 구성할 수 있는가.

에밀 뱅베니스트[6]의
『일반언어학의 여러 문제』(파리, 1966) 중
대명사의 성격에 관한 장에서 뽑은 예문들 소네트

내가 이번에는 너를 용서하지만 앞으론 절대 용서하지 없을 것이다.
나는 그가 너를 용서하지만 앞으로 다시는 용서하지 않을 것을 안다.
이 물고기를 먹으면서도 나는 이것의 이름을 모른다.
당연히 유령들이 영혼을 감시한다.
나는 가정하고 나는 추측한다.
나는 멈추고 나는 다시 움직인다.
나는 내게 말이 있다고 가정한다.
세상에 네가 어떻게 이런 집을 살 수 있어? 내가 말했고 그녀가 말했고

내가 이혼을 잘했다.
이방인들은 여기 사납고 날쌘 개가 있다는 경고를 받는다.
창녀들은 안개 속에서 길을 잃을 일이 없다.
내 목소리를 견딜 수 없는 것은 네 귀인가 아니면 네 영혼인가?
플로린다가 그의 무릎을 손보든 그의 수다를 손보든, 그는 두통 핑계를 대고
화자는 결론을 내린다, '그 문제는 해결 불가능하다.'

과묵한 소네트

대명사는 일종의 호명 철회다.
호명이 부담스럽고, 호명이 조금은 창피할 수도 있기 때문이다.
우리는 그보다 훨씬 가볍게 살고,
베네치아 블라인드처럼, 그늘과 논쟁하는
체계의 일부로서, 우리는 속으로 스스로를
'나'라거나 '우리'라거나 '누군가'처럼, 암시적으로 지칭한다.
친구가 '도시계의 셰익스피어'라고 부르는 베네치아에 관해 말하자면,
그 '소네트들'이 얼마나 자주 'thine'을 'their'로 오식(誤植)했는지가 떠오르는데,

베네치아의 안개를 조심할지어다.
조용히 멈추는 그 발소리들을 조심할지어다.
나는 사유가 깊은 사람으로 성장하리라 기대했는데,
대신에 일종의 빗자루가 되었다.
나는 말을 말에다 쓸어 붙인다. 그렇게 우리는 스스로를 쫓아 젊음에서 벗어나지,
쓸고, 쓸고, 쓸어서 진실 위에 머루알들을 쌓으며.

'우리는 연출 지시서 없이 해보려 했지만
어떤 동작에 어떤 색을 지정했는지, 어디까지 됐고
어디부터 안 됐는지 기억하지 못했다' 소네트

적어도 그들은 가벼운 동물들이라
뒤집힌 자세에서도 매끄럽게 오가지
소년이 들어오고 그는 소녀들 아래로 떨어진다
매달리려면 열정을 허용해주는
파이프가 필요했기에 그리고 각자에게서 보이는 것은 열정
오늘 방석들이 떨어졌다
나는 그저 갈수록 흥미를 느끼고 있을 뿐이었다
'허공에 두 팔을 뻗는' 장소들로의 산책

(휴식)
너는 어떻게 회전하는가 나는 회전할 수 없다
그러고는 스텝 스텝 도약을 시작한다
그녀는 자꾸자꾸 이렇게 도약하고
암호를 휘젓고 오르막길을 휘젓고 달걀을 휘젓고
그리고 사전 계획 없이 가능하다면 완전한 원호(圓弧)로 좋은 시간 보내시길.

서랍이 달린 영국제 장식장 소네트(산문시로)

각종 가두기에 관하여, 물건을 간수하는 곳들에 관하여 생각해보자.
셰익스피어의 소네트들에는 자신을 설득하거나 자신에게 고백하는 사람의
경우처럼 뇌 속의 침묵이 있다. 어떤 소네트들은 주인에게 말을 걸고,
어떤 것들은 마님에게, 어떤 것은 '주인마님'에게 말을 건다. 이들은 존재들을,
저기 서서 귀 기울이는 진짜 인물이 아닌 존재들을 불러냈다.
각종 귀 기울이기에 관하여 생각해보자. 아마 그들 존재의 첫 15년 동안
셰익스피어의 소네트들은 사적인 시들이었다. 1609년 런던의 서적상 토머스
소프가 인쇄하기 전까지 그 시들은 손으로 베껴 쓴 사본으로,
친구가 친구에게 주는 식으로 유통되었다. 당신은 당신의 사본을 서랍이 달린
영국제 장식장에 간직했을지도 모른다. 각종 '당신'에 관하여 생각해보자.
당신이 헬렌 벤들러[7]라면 셰익스피어가 쓴 모든 것을 읽는 내내 말장난에
주의하고 있을 것이다. 헬렌 벤들러에 따르면, 사실 셰익스피어가 쓴
'모두'라는 단어는 '모든 것'의 동의어이거나 남성의 성적 기관의 표시일 수
있다. 당신은 이런 종류의 감시가 셰익스피어를 즐기는 것과는 아무
관계가 없다고 생각할지 모르겠지만 그렇다 치더라도 그에게 '아무것도 없음'은
'어떤 것'의 반의어이거나 여성의 성적 기관의 표시일 수 있다.
물론 대부분의 영국제 장식장에는 비밀 서랍이 있다. 그것에 관한 나의 질문은,
비밀 서랍의 열쇠는 어디에 두는가가 될 것이다. 다른 서랍에?
훨씬 더 비밀스러운 비밀 서랍에? 말장난의 말장난 같은 그런 것이 있나?
당신 얼굴을 보면 당황스럽다는 얘기를 내가 했던가? 그리고 당신의
장식장을 뒤지던 그날 내가 우연히 당신의 비밀 서랍을 열었다는 얘기를?
내가 거기서 비밀을 발견했는지 아닌지는 당연히 말할 수 없다.
하지만 내가 놀라운 발명품인 '대명사 수송열차'의 특허권을 얻은 것이
그 직후였다. '대명사 수송열차'는 가정에서 조립할 수 있으며 안내서가
딸려 있다. 안내서는 암호로 쓰였다. 당신에게 암호의 열쇠를 주겠지만
그러면 내겐 아무 피난처도 남지 않을 것이다, 그렇지 않을까?
나는 한밤중에 일어나 체스말을 전부 체스판에 붙여버린 마르셀 뒤샹의
첫 번째 아내처럼 공황에 빠질지도 모른다.

마지막 소네트

뒤집힌
참새들
빠져나간다
머스
아니면
:

그대의 숨 깃털.

¹ 소네트는 14행의 짧은 시로 이루어진 서양 시가를 말한다. 각 행을 10음절로 구성하고, 복잡한 운과 세련된 기교를 사용한다. 13세기 이탈리아에서 시작되어 단테와 페트라르카에 의해 완성되었으며, 셰익스피어 등의 작품으로 유명하다.

² 언어학에서 명사를 나누는 기준의 하나로 소유 관계에서의 양도 가능성이 있으며, 이에 따라 명사들은 '양도 가능 소유(alienable possession)'와 '양도 불가능 소유(inalienable possession)'로 분류된다. 소유된 것이 소유자에게 우연한 것으로 결부되는 경우가 양도 가능 소유이며, 소유된 것이 필연적인 것으로 결부되는 경우가 양도 불가능 소유다. 양도 불가능 소유 명사들은 독립적으로 존재하거나 소유자와 분리될 수 없다. 대표적으로는 '어머니' '아버지'와 같은 친족 관계를 나타내는 명사와 '다리' '눈'과 같은 신체 부위를 나타내는 명사를 들 수 있다. 많은 언어가 이분법적 체계를 가지나 파푸아뉴기니 언어처럼 수십 가지로 분류하는 언어도 있으며, 개별 단어의 분류와 양도 불가능 소유를 나타내는 방식은 언어마다 다르다.

³ 비너스 엑스트라바간자(Venus Xtravaganza, 1965~1988)는 유명한 미국의 트랜스젠더 여성 연기자로 1990년에 발표된 제니 리빙스턴의 다큐멘터리 영화 〈파리는 불타고 있다〉에 등장하면서 세간의 이목을 끌었다. 영화 촬영이 진행되는 도중에 살해된 채 발견되었으며 범인은 아직 밝혀지지 않았다. 주디스 버틀러 등이 트랜스젠더 정체성과 젠더 이론을 연구하면서 엑스트라바간자 생전 인터뷰 등에 주목한 바 있다.

⁴ 미국의 무용가 머스 커닝햄을 말한다.

⁵ 캘리퍼는 사물의 두께와 내경(內徑), 외경(外徑)을 재는 데 쓰이는 도구다.

⁶ 에밀 뱅베니스트(Éile Benveniste, 1902~1976)는 프랑스의 구조언어학자이자 기호학자로 인도유럽어족에 관한 연구로 유명하다. 소쉬르가 세운 언어학 패러다임을 비판적으로 재구성한 것으로 일컬어진다.

⁷ 헬렌 벤들러(Helen Vendler, 1933~)는 미국의 문학비평가로 하버드대학교에서 문학박사 학위를 취득하고 1984년부터 하버드대 교수로 재직했다. 에밀리 디킨슨과 윌리엄 예이츠, 월리스 스티븐스 등 영미 시인들에 관한 저서를 다수 발표했다.